10 天外来客

童趣出版有限公司编　　人民邮电出版社出版
北京

主要人物介绍

喜羊羊： 族群里跑得最快的羊，乐观、好动，永远带着微笑。他总能识破灰太狼的阴谋诡计，拯救羊羊族群的生命，是羊氏部落的小英雄。

美羊羊： 美女羊，心灵手巧。她还是营养学家、美容师、模特儿……一切与“美”有关的事她都精通，是大家跟风模仿的对象。

懒羊羊： 最聪明的小肥羊之一，最喜欢的运动是睡觉。他聪明机智，而且临危不乱，总是一副大智若愚、举重若轻的样子。

沸羊羊： 最健壮的羊，也是最鲁莽的一只羊。经常是一副很酷的样子，总爱持反对意见，以为自己英伟不凡、天下无敌，其实很多时候都无能为力。

慢羊羊： 羊村村长，最年长的羊。博览群书，平时最爱搞小发明，是个乌龙发明家，但危急时又能派上用场。动作总是慢吞吞的，常把身旁的羊急死。

暖羊羊： 暖羊羊的心肠跟她的名字一样，充满阳光和温暖。重量级的身躯和无比善良的性格展现出来的魅力，总是让人大跌眼镜。

灰太狼： 住在青青草原对面的森林里，是个“聪明”又倒霉的坏蛋，爱钻研抓羊技巧，一有机会就去骚扰羊部落。他永远想偷羊吃，却永远被羊羊们打败。

红太狼： 灰太狼的老婆，贪婪、虚荣、狠毒。虽然长得一般却总打扮得华丽高贵，自以为天下最美。总是逼着灰太狼去抓羊，自己却坐享其成。

天外来客

这是一片古代的遗址，大家好好看看。

刷刷！

遗址、遗址……
刷！

啊！

有发现呀！

大家快来看，这里有刚出土的壁画，画的是外星人的飞碟。

我找到的！
真的是飞碟？
飞碟和吃饭用的碟子有什么区别吗？

哎哟！

飞碟是传说中外星人的交通工具，莫非祖先们见过外星人？

这幅画好像是大家在欢迎飞碟的降落……
欢迎！欢迎！
真的要好好研究研究。

真的会有飞碟、外星人吗？

月亮真美……
难道真的有外星人来过？
真想看看宇宙是什么样子呀！
一定好漂亮……懒羊羊，你说呢？
懒羊羊！
zzzZ
没问题，我一定让你们看看外星人！哈哈哈……
小羊快来，我带你们去逛宇宙！
就这样好了！
太好了！

哇，我们坐
上飞碟了！
全羊盛宴！
咣当！

啊哈哈哈！

咚咚咚！

踩垮踩垮！支持
灰太狼捉羊！

哐当……

终于有木板了！

老公，木板来了！

给！

哗！

啊！我的脚！

哐当！

吱嘎！

红太狼，我
成功啦！

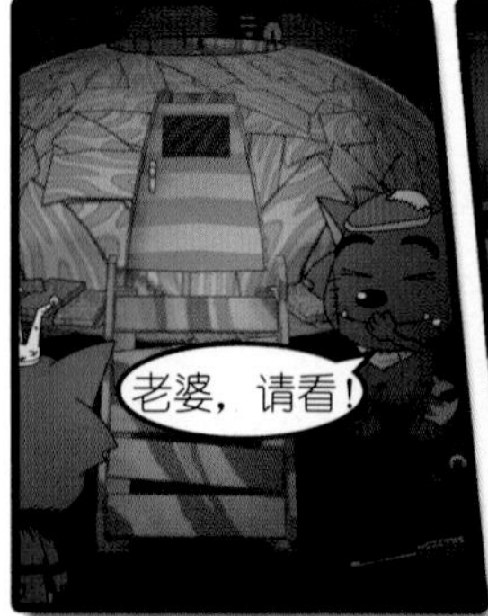
老婆，请看！

飞碟为什么没
有盖子？
对啊……

有了!
锵!

灰氏飞碟横空出世!

哈哈哈哈哈!

咚咚呛呛!

嘿哟!

有脚步声，快起来!

找飞碟去吧！
回家咯！

快进去！
还有东西呢！

我来收拾。

砰！

看我的闪光特效！
嘀！

刷！刷！

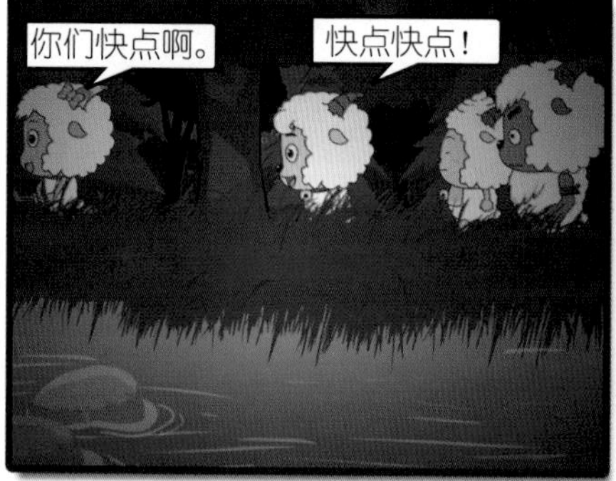
你们快点啊。
快点快点！

那边是什么在发光？

是谁家做饭
失火了吧？
不像，火光不
是这样子的。

难道是外星
人的飞碟？

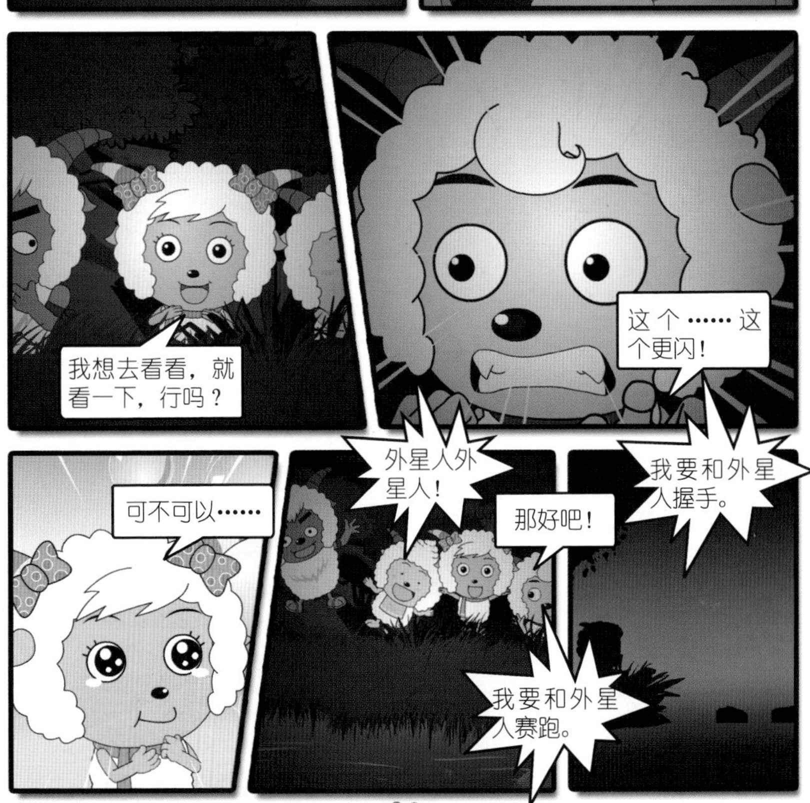
我想去看看，就
看一下，行吗？
这个……这
个更闪！
可不可以……
那好吧！
外星人外
星人！
我要和外星
人赛跑。
我要和外星
人握手。

我要和外星人照相。
我要和外星人吃饭。
闪！刷！刷！

真的是飞碟。
好啊！
我们进去看一看，好不好？

我去周围看一下有没有外星人。

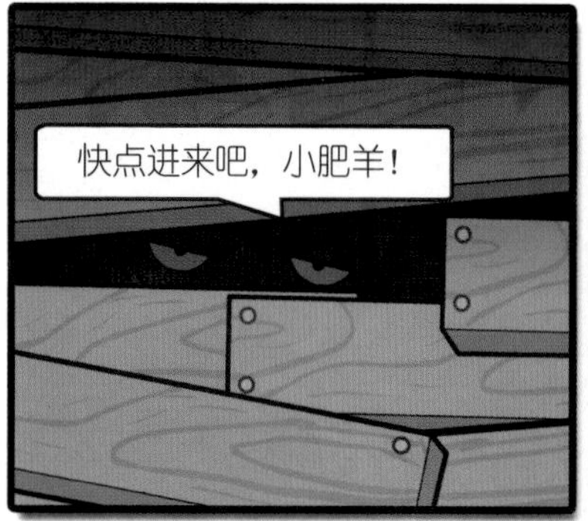
快点进来吧，小肥羊！

嗯？
你们要注意安全啊！

没有人？

到底有没有外星人啊……

哎呀！
这是什么？

绳子？！

这么长？

莫非这是外星人的东西？

这么多灯！

就是这个在发光？
嘿嘿……
外星人的装备就这么简陋呀？

这么多脚印？是狼的脚印！

糟了！

奇怪，怎么什么都没有？
对呀，一点吃的都没有！
你们不就是食物吗？
是灰太狼！快逃啊！

救命呀，快放我们出去……
快回去告诉他们！

啊？！

飞船重死了，你就不会做得轻点吗？

怎么有这么强的光？
有羊吃就别埋怨了，来——
啊？！你是？

竟敢假扮我们外星人捉羊？看我外星大王教训教训你们。

咔！
咻！

轰！

妈呀！饶命！

大王饶命……

不许看我，否
则把你们俩变
成太空食品。

大王饶命……
哼！

咚咚！

咣！

外星人……

哇！！！救命啊！
天哪？！

嘘！
啊！
嘿嘿……

外星人吃羊了！
饶命饶命！

快逃啊！

大家快走！

再回去看看！

羊呢？
外星人呢？

刷

刷

原来外星人是假的。羊都不见了！

找他们算账去！
好！

电锯怎么在这里？莫非？

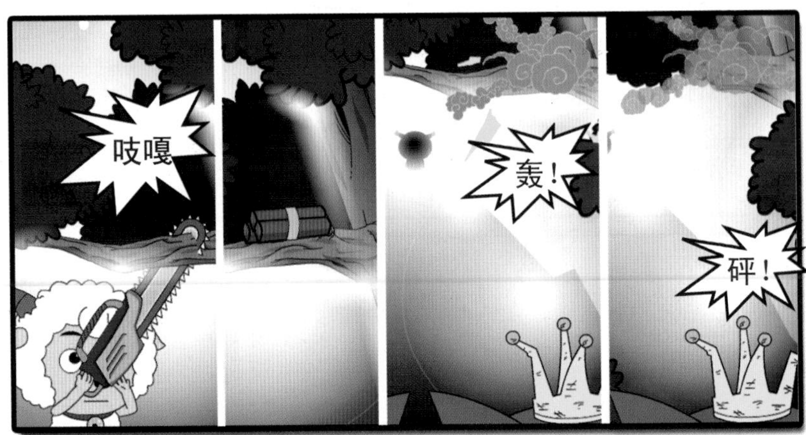
吱嘎
轰！
砰！

居然欺骗我灰太狼！
嗷！可恶的喜羊羊，
我不会放过你的！
你们这帮小羊崽子，还敢往哪里跑！

慢！

沙沙沙……

小肥羊们，我要好好教训教训你们……

上！

我来了！

嚓！

啊……
噼啪！

电啊……
左！

电啊……
右！

啪！

哎哟！

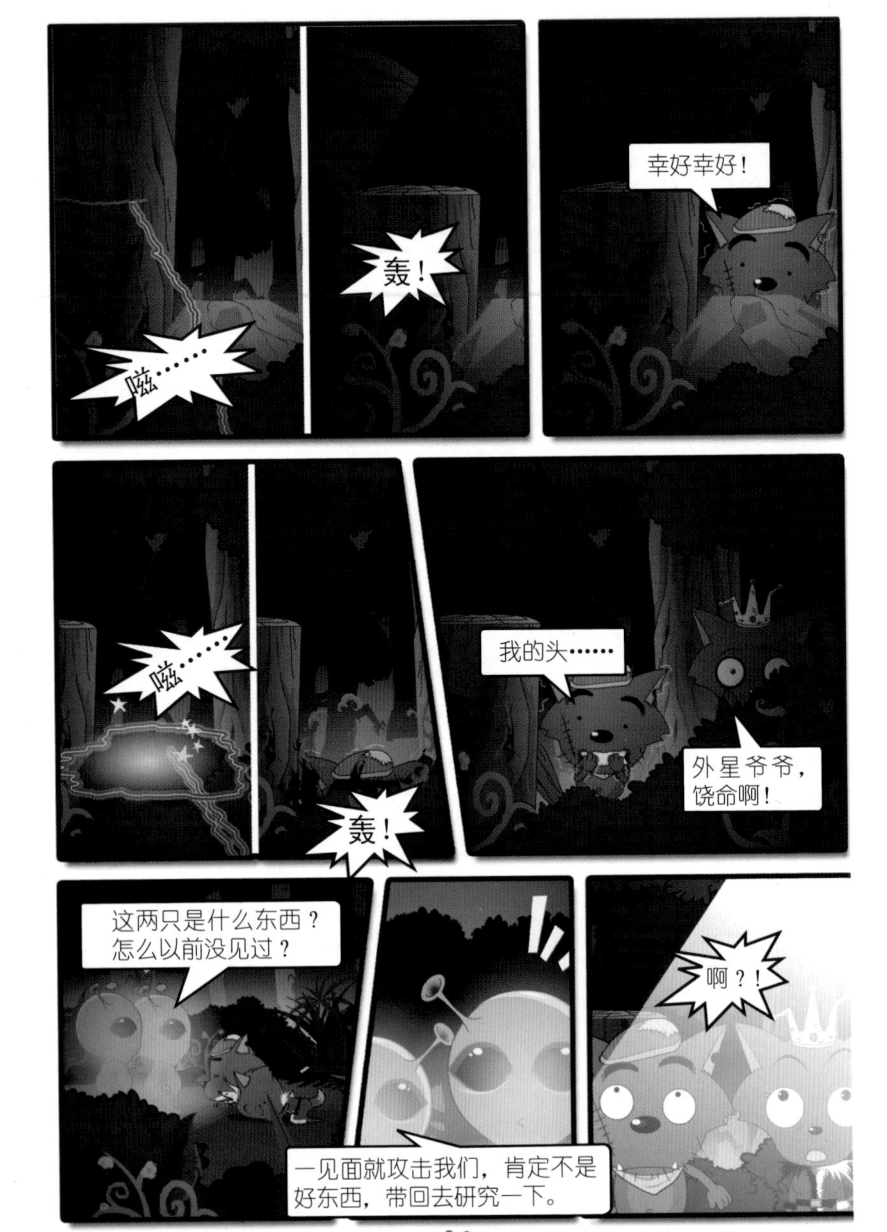
嗞……
轰！
幸好幸好！
嗞……
轰！
我的头……
外星爷爷，饶命啊！
这两只是什么东西？怎么以前没见过？
一见面就攻击我们，肯定不是好东西，带回去研究一下。
啊？！

哎哟！

哎呀！

这就是飞碟的真相——

唉……

这不是外星人的物品。

这是我们祖先的一个大型厨房，那个“飞碟”只是那时做饭用的锅。

原来这不是画的飞碟呀！

救命啊——喜羊羊，我一定会回来的……

完

地雷战

大家将就点，草不多了。

懒羊羊，这是你的。

村长，就这么一点草，还不够塞牙缝的。
是啊，冬季才刚开始，我们以后怎么熬啊。

这个冬天可怎么过呀……
今年收成不好，希望大家省着点吃。

村长，省着吃可不是办法呀，不如我们……
唔，我想起了一样东西，可以代替青草！

是什么啊？

大家看！

皮带！

别，别
吃……
我先尝尝！

这不是吃
的……
呸！

什么呀？一点
都不好吃。
你们饿了，就把它系
在腰上，勒紧……
啊？
看，这样就
不饿了。
太可怕了！

村长，我说的意思是，
不如去那边采集粮食！
哦……
看那里！

青草肥美的地方……
大家要善于发现嘛！
哇！好棒啊！好鲜美的青草！

可那边是灰太狼的地盘啊！
是啊！

难道，我们就只能靠储存的那点粮食过冬了吗？！
看看，那边的青草好鲜美啊！
这可得动动脑筋啦。
是啊，村长……

好吧，去找粮食吧！不过，一定要穿防狼套装！
防狼套装？！

嗯……
哈哈！

蘑菇型地雷
原来要这样做啊！

我来实验一下吧！
啪！

好，很好！小
心点……
游戏开始了！
捂住耳朵！

咦？怎么没
有动静？

砰！

啊哈，成功啦！有了它，
不愁捉不到小肥羊啦！

咔嚓！

我的鞋怎么在
门上了呢？

嗞！嗞！

唉！

日落西山，风景如画……

好美的蘑菇，好
美的地雷！
美丽的陷
阱啊！

哦！蘑菇都插满了！

咚咚咚……

有动静！
还以为是什么宝贝呢，不就是个破铁笼吗？
就是嘛，又重又笨。

狼还没来我们就累死了。
亲爱的小羊们，你们以为这样就能防住我了吗？

好像有点不对劲……
味道一定很好！
我来啦——
快看！好多蘑菇！
等等！懒羊羊……

美味的蘑菇！

不！

啊……
轰！
嗖！

这是什么蘑菇呀？
怎么回事啊？
懒羊羊，我
来救你啦！

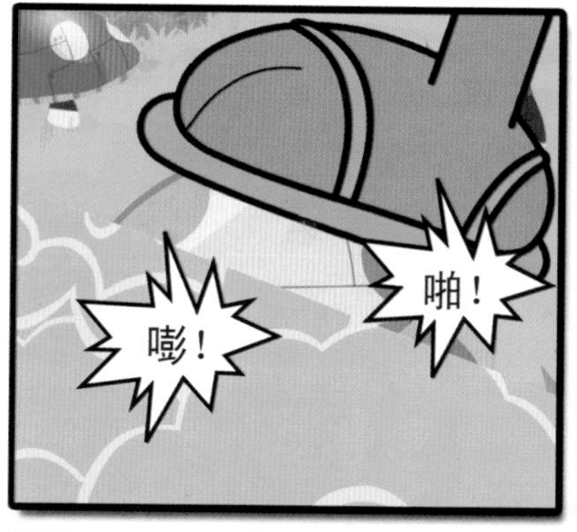
啪！
嘭！

啊——

糟了！

啊——
砰！

太可怕了！
我要回家！

美羊羊，不要动！

啪！
啊——
不好！

喜羊羊，这就是我的蘑菇地雷，你躲不了的！

嗖！
哦……

黑夜里的狼堡。
嗞……
放我走！

别急，小美羊，
我会吃掉你的！
咔嚓！

再见你的亲人
最后一面吧！

啊——
暖羊羊，我
怕……

哈哈，该先吃谁呢？红太狼，汤烧好了没有？
笨蛋！没水，怎么烧汤？

家里没水，我去外面拿！

怎么办？

好冷啊！
哇！快点！
哈哈！

待会儿……

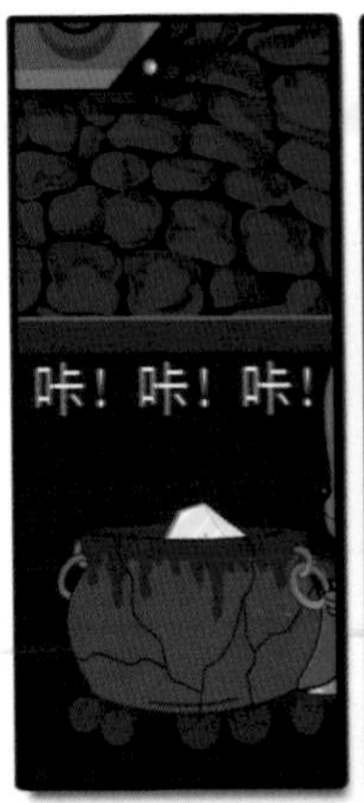
咔！咔！咔！

咣！
呀？！我可不是故意的。
这可是新买的锅……

闪！
快，快，把笼子打开！

包在我身上好啦！
噼啪！

啊——
不争气的锅呀！

灰太狼，什么时候能把锅修好？我快饿死了！
马上，马上……
砰！

啊？什么声音？肯定是小羊要逃跑！

怕什么？笼子通了三万伏的高压电。
30000

他们一摸就会变成烤全羊，哈哈哈……
笑什么笑，快修！
啪唧！

小心啊，喜羊羊！

拿过来！

来！我们朝电闸扔吧！

啪！
咻！
嗖！
怎么都不准啊！继续，继续！

这样吧！

暖羊羊，你力气最大，你再来试一下！

嘿！
哈！

嗖！

轰！！！
砰！
啪唧！
成功！

大家出去吧！
赶紧逃吧。
还是外边的空气好啊……

啊！

快停下！
啊——

呀！

幸好！

不！
嘀！

快趴下！
砰！

怎么办啊？这么多的地雷！
有办法啦！

你不是说他们跑不掉的吗？

可恶的喜羊羊，
你等着——

喜羊羊，你真聪明！

这样的方法，
只有你才能想
得到！

啊！

不要啊！！！
嗯？

你们逃不掉的！我
布下了天罗地网！

啦啦啦啦……

快去把他们
捉回来！
呼！呼！

嗖！

呀！！！
怎么办？

再搬点过来！
灰太狼夫妇，接住啊！

什么呀？
您的高级的
蘑菇啊！
不要啊！

让他们享用自己
美味的蘑菇吧！

轰！！！
哇！蘑菇！
完

哈哈哈哈！

快来滑草啦！

啊？
我也来啦！
滑喽！

暖羊羊，快点
滑下来呀。
我去踢球。
喜羊羊，
我也去！
嘭！
来追我呀！
沸羊羊，传球给我。
嗯？
呀呼……
还在睡啊！

不爱运动的懒羊羊，罚你去捡球。
不去。
你是应该多做做运动了。
捡球也算是运动吗？
多运动身体才会健康。
被灰太狼追的时候可以跑得掉。
是啊，是啊！
我帮你们捡球好啦。
喜羊羊接球！
咚！

咻！
不好意思啦！
喜羊羊，你是故意的。
哼！真不该答应给你们捡球。
捡球真不容易啊！
沙沙沙……
这是什么？
是它把球扎破的。
这是一对牛角吧？！

我戴戴，好看吗？
糟糕，摘不下来了。
帮我一下。
嗖！
哈哈！我灰太狼来也！
救命啊！
我砸！
嗖！

哎哟！
可恶的喜羊羊。
快跑！
等等我呀，牛角好重啊！
肥羊，你跑不掉的。
冲啊！！！
来吧！

嘭！
沸羊羊，你太恐怖了！！！
沸羊羊好厉害。

大肥羊学校
村长，为什么牛角有这么大的威力？羊角就不行。
那羊角是用来干吗的？
羊角是羊的角，是羊身体上最坚硬的部分，可以用来……观看欣赏……
村长
沸羊羊用牛角打败了灰太狼，太厉害了。
不是吧。

这不是普通的牛角，是斗牛的角。
这种牛见到红色就会很暴躁，必须用角把敌人顶个头破血流才会罢休。
哇！
好可怕啊……
有什么可怕的？抓到羊没有？
红太狼你不知道，那些羊有件很厉害的武器，是一对牛角。
牛角？够了，又编这种理由。
我得亲自去看看。
那些羊带上牛角后变得好厉害。

嗨！
哇，好大的力气！
砰！

怎么能这样！
给我看看！

啊！那个木蛋上画的是你吧？！
灰太狼，他们敢这样对你，快去报仇啊！
算了吧。

你还是不是狼啊？
快去吃了他们……
呀！！！
这个……
灰……灰……
灰太狼！
哼！你又
来了。
咧！来呀！
冲啊！
顶！
你别过来……

不！！！
呜呜呜……
奇怪？
羊呢？
看来是好狼有好报啊……
救命！
别追我！
灰太狼，快上！

哇呀呀！
完了。
哞……
啊！！！
咻！
哎呀~~
哎呀……
好痛啊！
老婆，忍耐
一下。
为什么沸羊羊
只追你呢？

红颜美女多
薄命呀！
真实一点
好不好。

铛！
让我查查，
牛角……
斗牛？！斗牛是一种脾气暴
躁的牛，斗牛对红色敏感。

在西方有一种运动就是利用
斗牛这个特性进行的……
斗牛对红色敏感？！我明白
了。沸羊羊，你等着瞧！

沸羊羊，我要
跟你决斗！

来呀，快来呀！

沸羊羊，
加油！
我来啦！

冲呀！

嘿哈！
我顶！
灰太狼害怕了耶！

沸羊羊，你
瞧好了！
沸羊羊加油啊！
我们支持你！
哞……
你不得不
来啊！
我顶！
咚！

呵~
嗵！
我没劲了！
糟糕，灰太狼发现了牛角的特性。
他发现了沸羊羊的弱点。
哎呀，不敢看了！
苍天呀！让我把所有的仇都报了吧！
怎么办？

灰太狼，有本事就
把袍子拿开，我们
斗个死去活来。
你死去，我活
来！我还有更
厉害的东西。

继续吧！
红色！
呀呀呀！！！

我顶！

哈！
咔！

嗯？！

我拔！

我的牛角！

呜呜……
快跑啊！

砰！
我得到啦！我终于得到了威力巨大的牛角！
红太狼，你看！

哇噻，牛角！
灰太狼开始幻想……
×3
SCORE: 100
+100
一个！

×3
SCORE: 1000
+400
两个！三个！四个！
哈哈……
灰太狼，你太了不起了！

那当然，以后就是我们的天下了！你想吃多少羊，我就给你顶多少羊回来！
怎么样，帅不帅？！

怎么戴不稳呢？
用绷带。这样
就好了！

哼！
你干吗这样
看着我？

红色？
不！！！

嘭！

好疼啊！

冲啊！
天哪！
啪！

噗！
咦？

我顶！
咔！

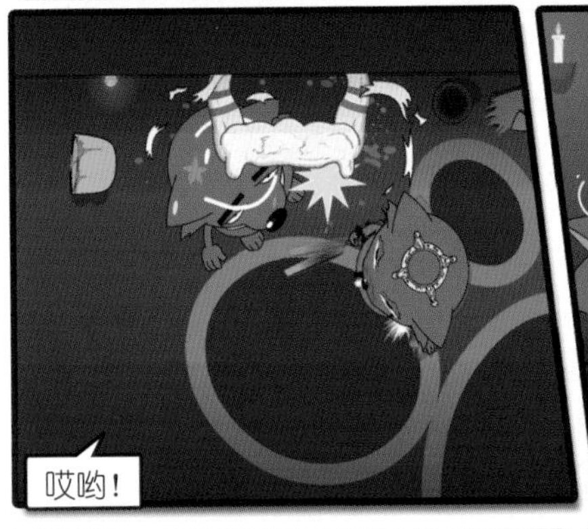
哎哟！

这牛角还真是有牛脾气，戴上就控制不住了。

今天的午餐真好吃！

看！灰太狼！

快进去！
咣！
你们的牛角已
经在我手上，
乖乖投降吧！

我们几个来跟
他战斗吧！
我害怕！
喜羊羊呢？他
去哪里了？！

我在这儿。
犀牛角！

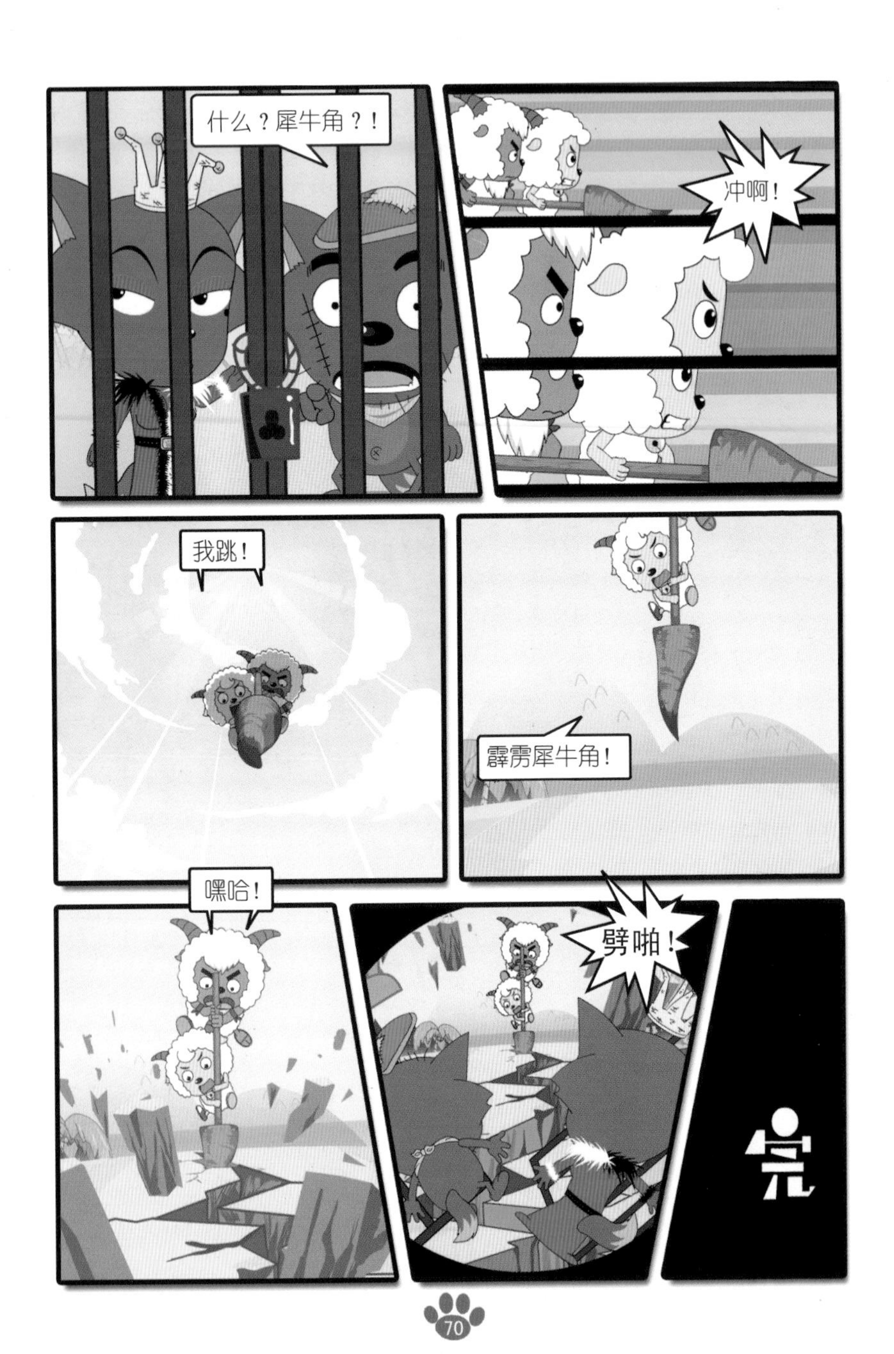
什么？犀牛角？！
冲啊！
我跳！
霹雳犀牛角！
嘿哈！
劈啪！
完

村长的魔术棒

宁静的夜晚真美妙啊！
哈哈！哇！太好玩了！
啊？！

庆典开始啦！
羊学校周年庆典

啷里个啷……
鼓掌呀！
呱唧呱唧！

下面是大家期待已久的保留节目，有请村长表演他最拿手的魔术！
呱唧呱唧！
好酷啊，村长！
赐予我力量吧！

风——
呼呼！

村长好帅呀！

呱唧呱唧！
村长好厉害！
好无聊，总是让我来调控电风扇。

每年都表演这些东西，一点新意都没有！
火——
哦！
嘀！

哇！火还真大！
雷——

唉，又要敲鼓了。
呱唧呱唧！

咚！咚！咚！！！

村长，我好崇拜你啊！
电——
噼啪！
沸羊羊开始幻想了。
要是我也有村长那样的魔术棒该有多好……
呼！呼！
风！
呜呜……
火！

啊！！！
电！
沸羊羊，你好厉害呀！
哈哈哈哈！

哈哈……

这个……

每次表演都要带好多道具啊！
村长，您有点创意好不好？几年都不变，会被人识破的。

嘘！明年我会想点更好的。我们先去把外面的东西搬进来吧。

唉！
机会来了！

嗖！

赶紧找！

村长的魔术棒快出来呀！
怎么没有呢？

咦？保险柜。
这么厉害的东西肯定锁在保险柜里。

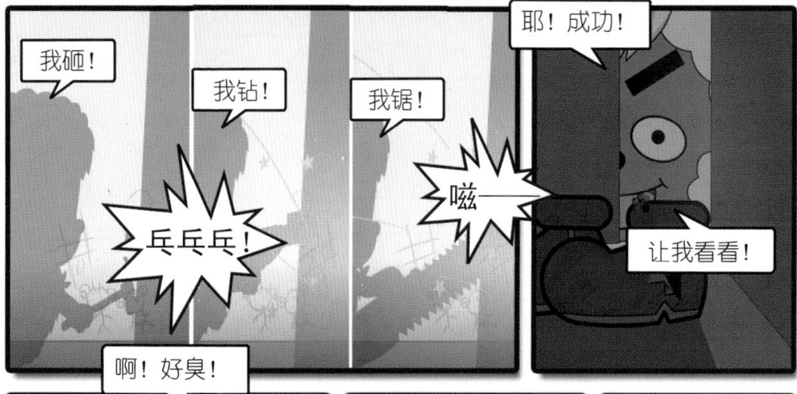
我砸！
我钻！
乓乓乓！
我锯！
嗞——
耶！成功！
让我看看！

啊！好臭！
嘭！
魔术棒到底会在哪里呢？

咦？！

这么多的魔术棒！
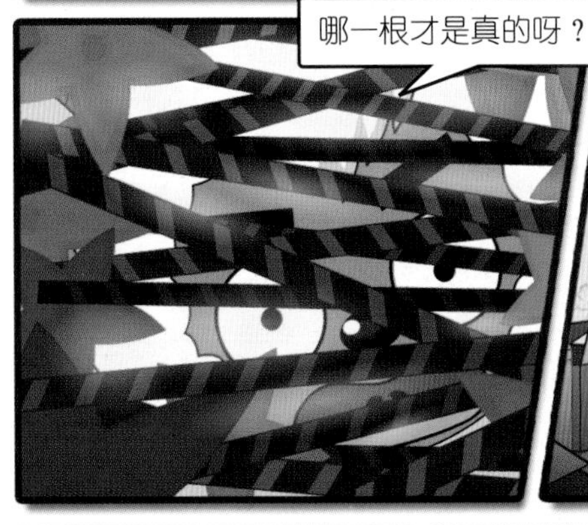
哪一根才是真的呀？

他们回来了。

嗖！
快点收拾好了，早点回去休息吧。
咦？桌上的盒子怎么不见了？

哦？里面装的是什么东西？重要吗？
没什么，只是您表演用的魔术棒。
哦，那随便找一根筷子再做一根就好了。
哎哟，我几乎忘了，晚上会有台风，我们尽早回家吧。

好，我也要去通知其他的羊呢！
风、火、雷、电——

真吵！

继续试！风、火、雷、电——

快试完了！
就剩这最后一根了。
希望奇迹出现！
风、火、雷、电——
噼啪！
轰！
呼！呼！

我终于成功了！
咦？火呢？
再来……

火——
火——
火——
烦死我啦！！！

轰！
啊！

这是真的吗？！

我……我终于练成了。
狼堡
灰太狼……胆小鬼，出来！
讨厌！
岂有此理，我来了！
大早上的，是谁这么吵？！

有本事你出来！

这小羊跑来送死？不可能，一定有鬼。
风——风 ——咦？

火——火——火——怎么不灵了？
心爱的小羊，你在搞什么鬼？谢谢你自己送上门来。

风——火——雷——电——怎么不灵了？
你不要过来。我会用魔法对付你的，你站住——

嗯？什么意思？
你要捉我回羊村？那样我不就可以捉更多的羊了吗？

你站住啊——

他真的不动了？难道这魔术棒有控制狼的功能？

退后两步。

哈！真的有效啊！

你学两声狗叫。
啊？

汪……汪……

好！真听话。跟我回羊村吧！

羊村
嗯？
灰太狼来了！

嗖！

快关门。
懒羊羊，怎么把门关上了？快开门呀！

你怎么跟灰太狼在一起呀？

他是我用魔法抓回来的俘虏，可听话了。
什么？

不信？我证明给你们看。

翻两个跟斗。

咻！
咻！
我还是有点不相信，你让他打自己的嘴巴给我看看。

小意思。灰太狼，打一下自己的嘴巴。

玩笑不要开得太过分了！

啪！
怎么样？没骗你吧？还不快开门？
大家快来呀，沸羊羊把灰太狼捉回来了。

大家好！
大家好！
这么多的羊！
灰太狼已被我制服了，以后大家不用怕他了。
啊？！沸羊羊这么厉害！

哇！美味！
什么魔法，该我表演了。
各位，看我的魔法……
小肥羊！哈哈……
啊？

你们都别想跑！

救命！

喜羊羊，怎么办呀？
快想想办法呀。
等等，我好
好想想。
有了，你们
都过来。

你给我站住！
嗖！
哎哟！
谁扔的石头？

咧！
快跑！
可恶的喜羊羊，
别想逃脱……

快点进礼堂！

快关门！

嘭！

哼！
喜羊羊！让我抓到你，你就死定了。快出来！

啊！

怎么回事？

哈！
搞什么鬼？

？
灰太狼，马上滚出羊村，要不然，我就用天下无敌的魔法对付你。

来呀，你施魔法呀。我很怕呀，哈哈……

雷——
鬼叫什么……

啊？
轰

轰隆隆！

火——
这回没戏了吧？
啊！！！

嘻嘻！
哇！火啊！
左、右、前面一点……
真好玩！
专心一点。

救命！
风——

呜呼呼！！！

不要啊！

加档！

电——

呵呵！
嘘！
来好了，
通电！

噼啪！
快闪！
嗞——

我一定会回来的……
咳咳……

村长好帅哦……我好想学啊……
村长，您教教我吧，教教我吧。

完

图书在版编目(CIP)数据

喜羊羊与灰太狼. 10，天外来客 / 童趣出版有限公司编.
—北京：人民邮电出版社，2007. 6
ISBN 978-7-115-16346-2
Ⅰ. 喜… Ⅱ. 童… Ⅲ. 图画故事—中国—当代 Ⅳ. I287. 8
中国版本图书馆CIP数据核字（2007）第082249号

喜羊羊与灰太狼10
天外来客

出 版 人：侯明亮
图书策划：范 萍
责任编辑：莫 杨
封面设计：徐 莉
排版制作：北京时间造物文化传播有限公司
根据广州原创动力动画设计有限公司制作的动画片改编 www.22dm.com

出版发行：童趣出版有限公司编
人民邮电出版社出版
地 址：北京东城区交道口菊儿胡同7号院（100009）
印 刷：北京画中画印刷有限公司印制
经 销：新华书店总店北京发行所
开 本：787×1092 1/32
印 张：3
版 次：2007年6月第1版 2008年12月第8次印刷
字 数：75千
书 号：ISBN 978-7-115-16346-2/G
定 价：10.00元

www.childrenfun.com.cn
读者热线：010-84180588
经销电话：010-84180552

《喜羊羊与灰太狼》连环画火热上市!

《喜羊羊与灰太狼》系列更多精彩图书将陆续面市，期待您的关注!